Carlos la  STAR

Aaron Blabey

Texte français d'Isabelle Montagnier

SCHOLASTIC

Carlos est un carlin qui AIME
en mettre plein la vue.
Du matin au soir, il gesticule,
saute et salue.

— REGARDEZ-MOI! s'écrie-t-il.
Je suis une STAR!
Une CÉLÉBRITÉ!

Mais parfois, il va trop loin.
Il ne sait pas s'arrêter.

ÉTOILES
CANINES

IRES

Ce jour-là, Marcel et Carlos
font une séance de photos.

Avec leurs costumes,

ils ont l'air plutôt rigolos!

— C'est amusant, hein? demande Marcel en gloussant de joie.

ROI DU ROCK 'N' ROLL

Carlos l'écarte du chemin et hurle :
— REGARDEZ-MOI!

Je suis vraiment fabuleux,

absolument divin!

Maintenant, recule!
Ces costumes sont
LES MIENS!

Oui, Carlos prend toute la place.

Il veut attirer l'attention.

Il chuchote à Marcel :
— Tu n'es pas COOL,
espèce de saucisson!

Les flashs crépitent.
Sous la lumière des projecteurs,
Carlos joue les stars...

et se prend pour un **rappeur** :

YO!

Je suis le roi du rap!

On m'appelle

K-KARLLIN!

Donne-moi donc un beigne,
espèce de chien-boudin!

Mais il se produit quelque chose
qui bouleverse tout...
Le photographe dit :

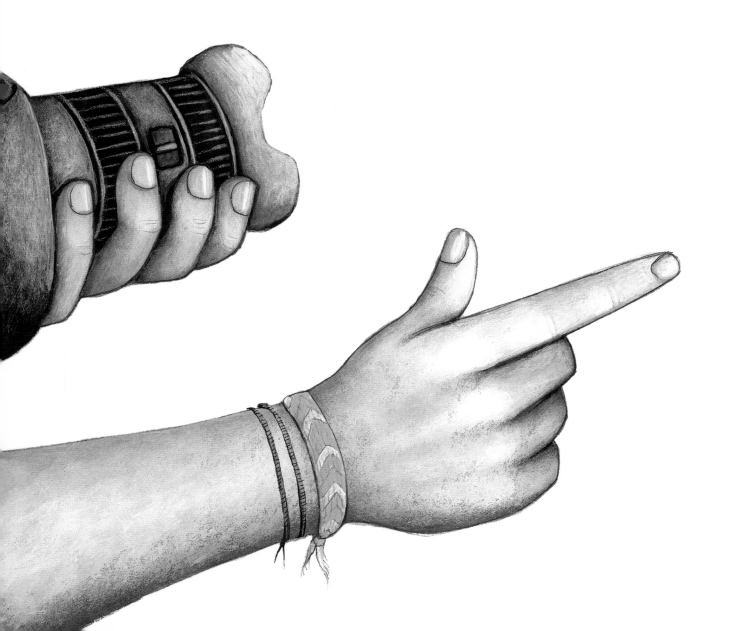

— Ce *chien-là* est vraiment CHOU!

Incroyable! ajoute-t-il.
C'est Marcel, la vraie
VEDETTE!

Carlos est fou de rage.

Il voit **ROUGE** dans sa collerette!

— C'est

MOI
LA
STAR!

s'écrie-t-il en bottant
le pauvre Marcel.

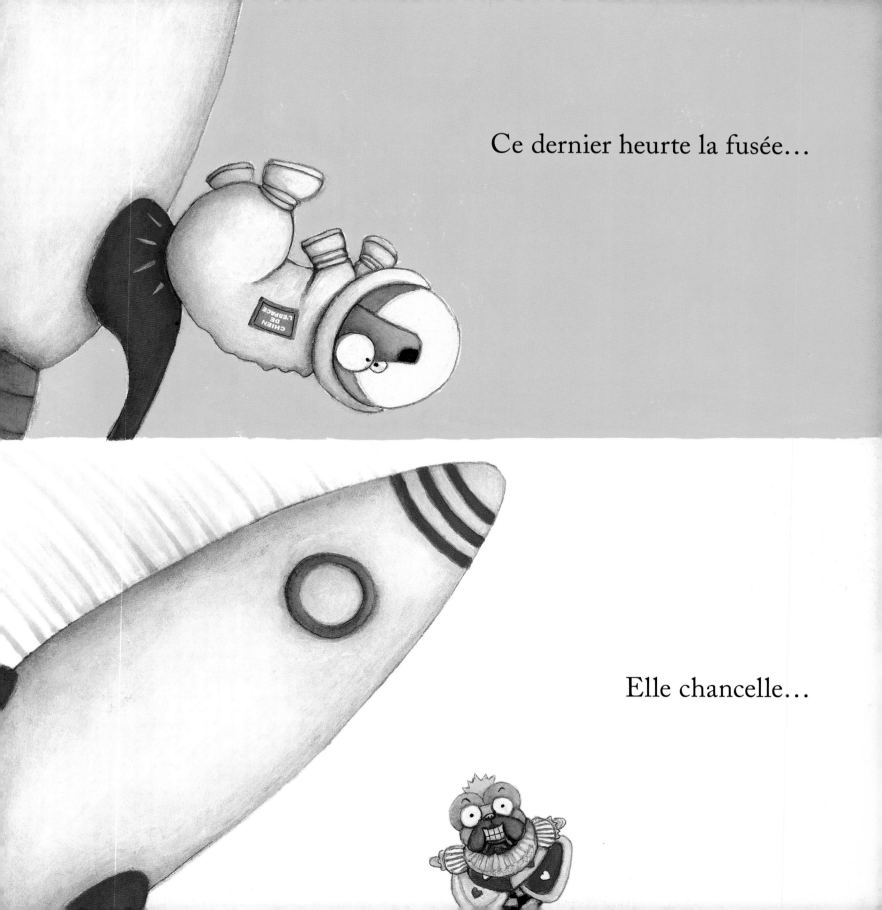

Ce dernier heurte la fusée…

Elle chancelle…

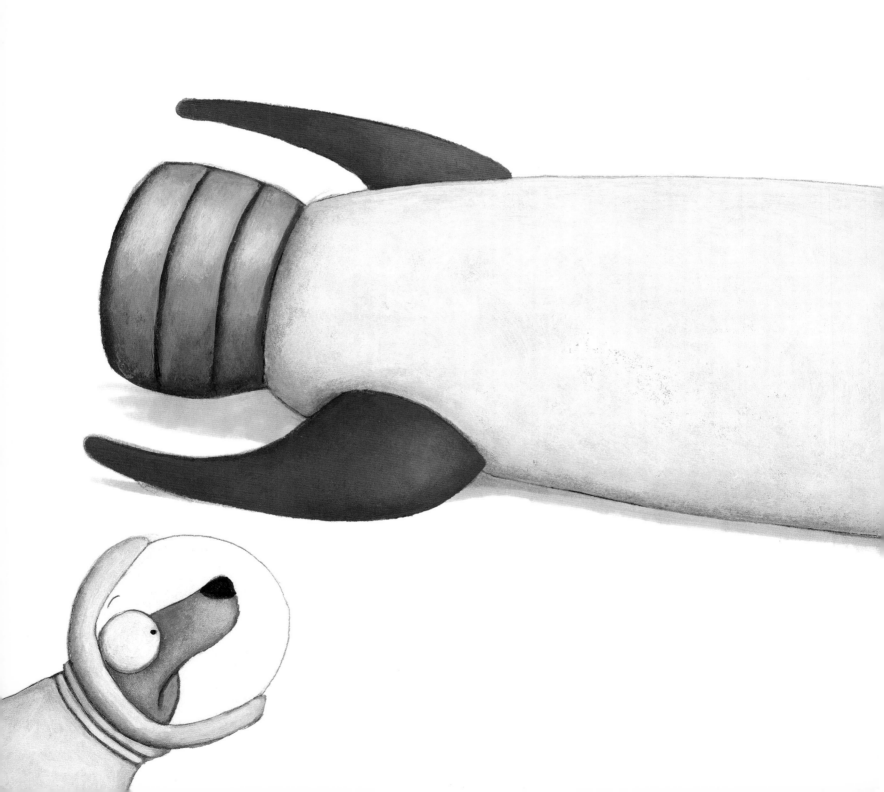

BADABOUM!

Ces jours-ci, les choses
se passent bien différemment.
Carlos se tient tranquille
pour l'instant.

Il fait moins le malin,
il a battu en retraite.
Et même si ça l'agace…

il laisse Marcel lui voler la vedette.